MON PREMIER LIVRE
DE CHANSONS

MON PREMIER LIVRE DE CHANSONS

choisies par Simonne Charpentreau

Collection Petite Enfance heureuse

les éditions ouvrières
12, avenue Sœur-Rosalie
75621 PARIS CEDEX 13

Couverture de Sophie Kniffke

Imprimé en France Printed in France
ISBN 2-7082-2350-X

Haut comme trois pommes

Anniversaire

Texte de Jean-Luc Moreau — Air traditionnel

Fa
Do7
Quand j'étais petit je n'étais pas grand
Haut com-me trois pom-mes et de - mie
Fa
Do7
Fa
Mais ça va chan-ger de-main j'ai quatre ans!
Je suis presqu'un hom —— me chère a - mie.

Quand j'étais petit je n'étais pas grand.
Mais ça va changer : demain j'ai quatre ans !
Haut comme trois pommes
Et demie
Je suis presque un homme,
Chère amie.

Mon chapeau

Do
Sol7
Sol
Mon cha-peau a qua- tre bos-ses
Sol7
Do
Qua-tre bosses a mon cha- - peau
Sol7
Sol
S'il n'a - vait pas qua———tre bos-ses
Sol7
Do
Ce n'se-rait pas mon cha - peau.

Mon chapeau a quatre bosses
Quatre bosses a mon chapeau
S'il n'avait pas quatre bosses
Ce n'serait pas mon chapeau

Chèvrepied

Comptine

La m
La m
Chè -vre-pied Mon pe-tit sou-lier
La m7
Me fait mal au pied. Cor-don-nier Frappe un jour en-
Do
Do
-tier Mon pe-tit sou-lier Pour danser tou-te la jour-
Do
Do
-née A-vec mon sou-lier. Cor-don-nier! Chè-vre-pied.

Chèvrepied
Mon petit soulier
Me fait mal au pied
Cordonnier
Frappe un jour entier
Mon petit soulier

Pour danser
Toute la journée
Avec mon soulier
Cordonnier
Chèvrepied.

Dans le petit creux de ma main

Texte et musique de Luc Decaunes

Do
Sol7
Dans le pe -tit creux de ma main,
Sol7
Do
Dans le pe-tit creux de ma main, J'ai sen-ti lé-ger et char-
Sol
Fa
3
Do
mant, J'ai sen-ti un chatouillement Dans le pe-tit creux de ma
Sol7
Fa
main, J'au-rais bien voulu Que ça du - re, Que ça
Do
Sol
Sol7
du-re, du-re jusqu'au len-de-main. Dans le pe-tit creux de ma
Do
Sol7
Do
main, Dans le pe-tit creux de ma main.

Dans le petit creux de ma main *(bis)*
J'ai senti, léger et charmant,
J'ai senti un chatouillement.
Dans le petit creux de ma main,
J'aurais bien voulu que ça dure,
Que ça dure, dure, dure jusqu'au lendemain,
Dans le petit creux de ma main *(bis)*

Les beaux yeux

Texte et musique de Luc Decaunes

Mi m
Ré
De beaux yeux bleus de beaux yeux
Je les ai vus bril-ler ce
Mi m
Si7
Mi m
noirs Des yeux tout bleus des yeux tout noirs
soir. Ah! les beaux bleus ah les beaux noirs
Si7
La m
Si7
La m
Faut- il choi-sir les yeux bleus? Faut- il choi - sir
Ré7
Si7
Mi m
les yeux noirs
Les yeux bleus me fe-
La m
Ré7
La m
Mi m
Ré7
Sol
-ront heureux Les yeux noirs me rendront l'es-poir
Mi m
Ré
Mi m
Les beaux yeux bleus! Les beaux yeux noirs
Si7
Mi
J'en veux un bleu, j'en veux un noir!

De beaux yeux bleus, de beaux yeux noirs,
Des yeux tout bleus, des yeux tout noirs,
Je les ai vus briller ce soir :
Ah ! les beaux bleus, ah ! les beaux noirs !
    Faut-il choisir les yeux bleus ?
    Faut-il prendre les yeux noirs ?
Les yeux bleus me feront heureux,
Les yeux noirs me rendront l'espoir.
Les beaux yeux bleus ! les beaux yeux noirs !
J'en veux un bleu, j'en veux un noir !

Chanson à bercer

Paroles de L. Wicky Musique de B. Schule

Fa
Do7
Fa
Dors, mon an-ge-let dors. Le pe-tit se-rin
Do7
Fa
s'est blotti, Minet part chas-ser la sou-ris
Do7
Bientôt mon enfant dormira, Dors, dors mon cher trésor
Do
Fa
Fin
Dors mon angelet dors, Dors mon an-ge-let, dors
Do7
Bon saint Pierre a fini sa tournée, Etoiles et lune sont
Fa
Fa
allumées. Voilà mon enfant endormi. Dors ,dors
Do
Do7
Fa
mon cher tré-sor Dors, mon an-ge-let, dors.

1
Dors, mon angelet dors.
Le petit serin s'est blotti,
Minet part chasser la souris,
Bientôt mon enfant dormira
Dors, dors, mon cher trésor,
Dors, mon angelet, dors.

2
Dors, mon angelet, dors,
Bon Saint-Pierre a fini sa tournée,
Étoiles et lune sont allumées,
Voilà mon enfant endormi.
Dors, dors, mon cher trésor,
Dors mon angelet, dors.

3
Dors, mon angelet dors
Ne souffle pas grand vent du soir,
Tais-toi, tais-toi, mon vieux chien noir
Vous éveilleriez mon enfant.
Dors, dors, mon cher trésor
Dors, mon angelet dors.

Nez en moins

Texte de Luc Bérimont — Musique de Jacques Douai

Do
Nez en moins Langue en plus Oeil en
-quin Pied d'autruche saint frus-
1 Sol7
2 Sol7
coin Marthe et Luce Grand co- -quin Saut de
Do Fa Sol Do Sol7
puce Dal-ma-tien Co-que-luche Pharma-cien Terre à
Do Sol7 Do Fa
cruche. Terre à cruche Pharma- cien Co-que-
Sol Do Fa
-luche et Dal-ma-tien On ne sait ja-mais pour-
Do Sol7 Do
-quoi Un mot rime et a - vec quoi On ne
Fa Do Fa Sol Do
sait ja-mais pourquoi Un mot rime et a-vec quoi.

Nez en moins
Langue en plus
Œil en coin
Marthe et Luce
Saint Frusquin
Saut de puce
Pharmacien
Tête à cruche
On ne sait jamais pourquoi
Un mot rime et avec quoi !

Toussa toussa beaucoup

Paroles et musique d'Henri Dès

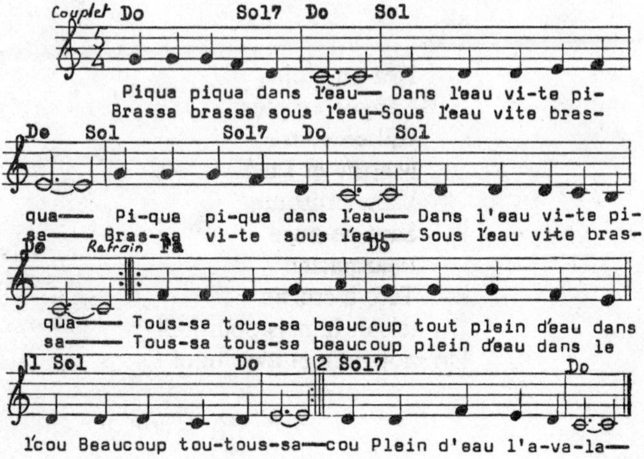
Couplet Do Sol7 Do Sol
Piqua piqua dans l'eau— Dans l'eau vi-te pi-
Brassa brassa sous l'eau—Sous l'eau vite bras-
Do Sol Sol7 Do Sol
qua— Pi-qua pi-qua dans l'eau— Dans l'eau vi-te pi-
sa— Bras-sa vi-te sous l'eau— Sous l'eau vi-te bras-
Do Refrain Fa Do
qua— Tous-sa tous-sa beaucoup tout plein d'eau dans
sa— Tous-sa tous-sa beaucoup plein d'eau dans le
1 Sol Do 2 Sol7 Do
l'cou Beaucoup tou-tous-sa—cou Plein d'eau l'a-va-la—

1
Piqua piqua dans l'eau
Dans l'eau vite piqua } *bis*
Brassa, brassa sous l'eau
Sous l'eau vite brassa } *bis*

Refrain
Toussa toussa beaucoup
Tout plein d'eau dans l'cou
Beaucoup tou-toussa
Toussa toussa beaucoup
Tout plein d'eau dans l'cou
Plein d'eau l'avala

2

Sortit sortit de l'eau
De l'eau vite sortit } *bis*
Sécha sécha son dos
Son dos vite sécha } *bis*

Refrain

Toussa toussa beaucoup
Tout froid dans le cou
Beaucoup tou-toussa
Tout froid dans le cou
Vite s'habilla

3

Courut courut chez lui
Chez lui vite courut } *bis*
Maman maman j'ai froid
J'ai froid vite maman } *bis*

Refrain

Toussa toussa fini
Tout tout chaud partout
Fini tou-toussa
Toussa toussa fini
Tout tout chaud partout
Tout au fond du lit.

Ma dent

Texte et musique d'ANNE ET CAROLINE

Do
Sol7
Ma dent, ma pe-ti-te dent — Ma dent ma dent de de-
Do
Fin
Ré m.
Ré
vant. Elle est tombée ce ma-tin Elle ne tenait plus très
Sol
Fa
Do
Ré m7
Sol7
bien A la place y'a main-tenant un p'tit trou sur le devant

Refrain
Ma dent, ma petite dent,
Ma dent, ma dent de devant.

1
Elle est tombée ce matin
Elle ne tenait plus très bien
A la place il y a maintenant
Un p'tit trou sur le devant
Refrain

2
Elle était sur l'étagère
On l'a mise sous un verre
Et la petite souris
Est venue pendant la nuit
Refrain

3
Ce matin elle n'est plus là
Mais à la place il y a
Une bien jolie surprise
C'est la souris qui l'a mise
Refrain

4
Il y a un sou brillant
Une jolie pièce en argent
Et je vais bien la garder
Je veux économiser
Refrain

5
Si je perds encore mes dents
J'aurai des beaux sous d'argent
Et je pourrai m'acheter
Une bien jolie poupée
Refrain

6
Moi je crois que Grand-Maman
Doit avoir beaucoup d'argent
Car elle n'a plus une dent
La souris lui a tout pris
On le voit quand elle rit
Refrain

Les contrastes

Paroles de J. Ruelle — Musique de Léon Lemoine

Fa
Do7
Un, deux, trois. Chaud n'est pas
Fa
Do7
froid.. Froid n'est pas chaud, Bas n'est pas
Fa
Do
Fa
haut Vieux n'est pas neuf Ours n'est pas bœuf !

1
Un deux trois
Chaud n'est pas froid
Froid n'est pas chaud
Bas n'est pas haut
Vieux n'est pas neuf
Ours n'est pas bœuf.

2
Un deux trois
Chaud n'est pas froid
Gros n'est pas grand
Noir n'est pas blanc
Rond n'est pas plat
Chien n'est pas chat.

3
Un deux trois
Chaud n'est pas froid
Eau n'est pas vin
Pied n'est pas main
Mou n'est pas dur
Doux n'est pas sûr.

4
Un deux trois
Chaud n'est pas froid
Nuit n'est pas jour
Long n'est pas court
Loin n'est pas près
Dormez en paix.

Catherinette

Chanson à récapitulation

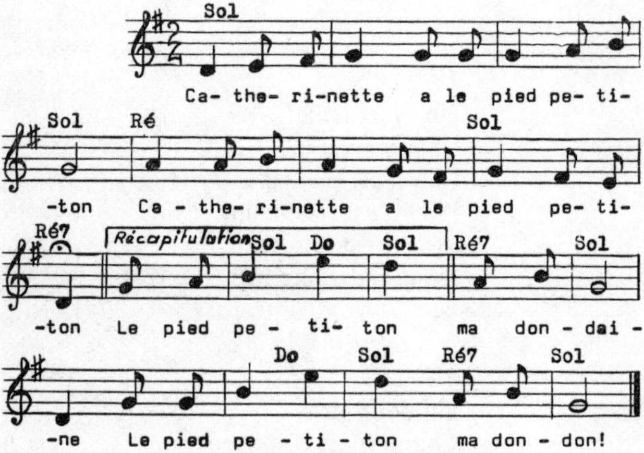
Sol
Ca- the- ri-nette a le pied pe- ti-
Sol Ré Sol
-ton Ca - the- ri-nette a le pied pe- ti-
Ré7 Récapitulation Sol Do Sol Ré7 Sol
-ton Le pied pe - ti- ton ma don - dai -
Do Sol Ré7 Sol
-ne Le pied pe - ti - ton ma don - don!

1
Catherinette a le pied petiton *(bis)*
Le pied petiton ma dondaine
Le pied petiton ma dondon !

2
Catherinette a la jambe bien faite *(bis)*
        La jambe bien faite
Le pied petiton ma dondaine
Le pied petiton ma dondon !

3
Catherinette a le genou tout rond
        Le genou tout rond
        La jambe bien faite
Le pied petiton ma dondaine
Le pied petiton ma dondon !

4
Catherinette a la taille bien faite

5
Catherinette a le bras bien blanc

6
Catherinette a la main très fine

7
Catherinette a la tête brunette.

Petit peton

Chanson à récapitulation

Sol
Ré7
Pe- tit pe - ton Pe-ti-te Mar -gue-
Pe- tit pe - ton La pe- ti- te Mar-
Sol
Récapitulation
Sol
-ri - te
-got.
Che - veux de soi - e
Pe - tit pe-
Pe - tit pe-
Ré7
Sol
ton Pe - ti - te Mar - gue - ri - - te
ton La pe - ti - te Mar - got.

1
Petit peton
Petite Marguerite
Petit peton
La petite Margot.

2
Cheveux de soie
Petit peton
Petite Marguerite
Petit peton
La petite Margot.

3
Front effronté
Cheveux de soie
Petit peton
Petite Marguerite
Petit peton
La petite Margot

4
Nez plein d'tabac

5
Bouche gourmande

6
Barbe pointue

7
Cou de tortue

8
Estomac creux

9
Ventre dodu

10
Cuisse bien blanche

11
Genou tout rond

12
Jambe très longue.

Ah ! J'ai perdu ma fille

Ronde

Ah! j'ai perdu ma fille Zim zim ca- ril-
lon,Ah! j'ai perdu ma fille Trois fleurs de la Na-tion

Ah ! j'ai perdu ma fille
Zim zim carillon
Ah ! j'ai perdu ma fille
Trois fleurs de la Nation

Où l'avez-vous perdue ?
Zim zim carillon
Où l'avez-vous perdue ?
Trois fleurs de la Nation.

J'l'ai perdue dans la rue

Quel manteau avait-elle ?

Elle en avait un bleu

Quelles chaussures avait-elle ?

Elle en avait des blanches

Quelles chaussettes avait-elle ?

Elle en avait des rouges

Comment s'appelait-elle ?

Elle s'appelait Marianne

(On recommence avec un autre prénom)

La lanverne

Chanson à mimer

Sol
A qui dan- se - ra le
Sol Ré7 Sol
mieux La lan-ver- ne la lan- ver- ne A qui
Sol Sol Ré7 Sol
dan-se - ra la mieux La lan-ver-ne de nous deux?

1
A qui dansera le mieux
La lanverne, la lanverne,
A qui dansera le mieux
La lanverne de nous deux ?

2
On la danse avec le pied
La lanverne, la lanverne
On la danse avec le pied
La lanverne dans les prés.

3
On la danse avec les doigts
La lanverne, la lanverne,
On la danse avec les doigts
La lanverne dans les bois.

4
On la danse avec le front
La lanverne, la lanverne,
On la danse avec le front
La lanverne tout en rond

5
On la danse avec les mains
La lanverne, la lanverne,
On la danse avec les mains
La lanverne le matin.

6
On la danse avec les genoux
La lanverne, la lanverne,
On la danse avec les genoux
La lanverne tout le jour.

Amusons-nous

Litanie des écoliers

Texte de M. Carême — Musique de J. Ollivier

1.2
Fa
Saint A-na - tole Saint A-na-tole
Saint A-mal- fait Saint A-mal-fait
Do7
Fa
Que lé- gers soient les jours d'é - cole
Ah! que mes de - voirs soient bien faits
Si
Fa
Do
Sain-te Cor - dule Sain- te Cor - dule
Sol
Do
N'ou-bli-ez ni point ni vir-gule Saint Ni-co-dème
3
Fa
Do
Sol
Do7
Fa
Saint Ni-co-dème Don-nez-nous la clé des pro-blèmes
Fa
Do7
Sain- te Ma-rie Sain- te Ma-rie Fai - tes qu'el-
Fa
-les soient in-fi-nies Sain-te Ma-rie Sain-te Ma-
Do7
Fa
Do7
Fa
-rie Fai - tes qu'el-les soient in - fi - nies.

Saint Anatole *(bis)*
Que légers soient les jours d'école
Saint Amalfait *(bis)*
Ah ! que mes devoirs soient bien faits !
Sainte Cordule *(bis)*
N'oubliez ni point ni virgule
Saint Nicodème *(bis)*
Donnez-nous la clé des problèmes.

Saint Tirelire *(bis)*
Que grammaire nous fasse rire
Saint Siméon *(bis)*
Allongez les récréations
Saint Espongien *(bis)*
Effacez tous les mauvais points
Sainte Clémence *(bis)*
Que viennent vite les vacances !

Sainte Marie *(bis)*
Faites qu'elles soient infinies ! *(bis)*

Sur ma balançoire

Texte de Pierre Coran   Musique de Max Rongier

Do Fa Do Fa
Sur— ma ba—lan-çoire—— A——lors
Je—fer- me——les yeux——
Sol Do Sol
Dernier couplet
je——peux voir Tout ce que je veux——
Coda
Fa Sol Do Sol 7 Do
Tout— me pa—raît noir Mais je suis heu-reux——

1
Sur ma balançoire
Je ferme les yeux
Alors je peux voir
Tout ce que je veux.

2
Sur ma balançoire
Je suis coccinelle,
Papillon du soir,
Coucou, hirondelle.

3
J'ai dans la mémoire
Un cheval de feu
Et dans mon mouchoir,
Un éléphant bleu.

4
Sur ma balançoire
Quand j'ouvre les yeux
Tout me paraît noir } *bis*
Mais je suis heureux. }

La musiquette

Chanson à mimer

Paroles et musique d'Henri Dès

Ré La
La pe - ti-te mu - si - quet - te
La7 Ré La7
que l'on fait dans la mai-son Le ma-tin quand tu t'ha-
Ré La7 Ré
-bil -les Juste a-vant le cho - co - lat

1

La petite musiquette
Que l'on fait dans sa maison } *bis*
Le matin quand tu t'habilles
Juste avant le chocolat } *bis*

2

La petite musiquette
Que l'on fait sur le chemin } *bis*
Sur la route de l'école
Quand t'es pas pressé pressé } *bis*

3
La petite musiquette
Qu'on fait quand on est content } *bis*
Quand c'est la fin de la classe
Et que tu rentres chez toi } *bis*

4
La petite musiquette
Que l'on fait quand vient le soir } *bis*
Quand la soupe est sur la table
Chaud ! c'est encore un peu chaud } *bis*

5
La petite musiquette
Que l'on fait dans un bon lit } *bis*
Quand t'as plein de rêves roses
Cachés sous ton oreiller } *bis*

6
La petite musiquette
Que l'on fait quand l'on s'endort } *bis*
Après le dernier sourire
Tout plein tout plein de baisers } *bis*

Dominique joue du piano

Chanson à mimer

Paroles et musique d'HENRI DÈS

Ré
Do - mi - nique joue du pia - no
La7
Comme elle joue a - vec un doigt
Ré
La
Ré
Elle ne sait pas faire son Do
Elle ne sait pas faire son----------

2
RÉmy joue d'la clarinette *(bis)*
Comme il joue avec un doigt *(bis)*
Il ne sait pas faire son Ré
Il ne sait pas faire son

3
MIchel joue d'l'accordéon *(bis)*
Comme il joue avec un doigt *(bis)*
Il ne sait pas faire son Mi
Il ne sait pas faire son

4
FAbien joue d'la contrebasse *(bis)*
Comme il joue avec un doigt *(bis)*
Il ne sait pas faire son Fa
Il ne sait pas faire son

5
SOLange joue du pipeau *(bis)*
Comme elle joue avec un doigt *(bis)*
Elle ne sait pas faire son Sol
Elle ne sait pas faire son

6
LArry joue d'la mandoline *(bis)*
Comme il joue avec un doigt *(bis)*
Il ne sait pas faire son La
Il ne sait pas faire son

7
SImone joue du violon *(bis)*
Comme elle joue avec un doigt *(bis)*
Elle ne sait pas faire son Si
Elle ne sait pas faire son

8
DOminique joue du piano
...

La clef des champs

Texte de J.-L. Moreau Musique de J. Ollivier

La Ré
Par-tir en-semble Que vous en semble L'ho-
Mi7 La La
ri-zon tremble dès le ré-veil Ô ca-bri-ole Dans
Ré Mi7 La Fin
l'herbe folle Mon coeur s'envole Au grand so-leil A
Ré La Mi
mil-le lieues De ces banlieues Des routes bleues Se
La Ré La
per-dent loin loin des casernes Tristes et ternes Dans
Si7 Mi
la lu-zerne Et le sain-foin.

1

Partir ensemble
Que vous en semble ?
L'horizon tremble
Dès le réveil
O cabrioles
Dans l'herbe folle !
Mon cœur s'envole
Au grand soleil.

A mille lieues
De ces banlieues
Des routes bleues
Se perdent loin,
Loin des casernes
Tristes et ternes
Dans la luzerne
Et le sainfoin.

2

Là, des collines
L'eau cristalline
Sourd, et s'inclinent
De grands roseaux ;
Là, se balance,
Plein d'insolence,
Et puis s'élance
Un bel oiseau.

Les Muses jouent
Chantent, s'ébrouent ;
On fait la roue,
Le grand écart.
Là, point de rues,
Mais l'herbe drue ;
Pégase rue
Dans les brancards.

3

C'est le royaume
Où tout embaume
De mille arômes,
Où tout le jour
Les campanules
Tintinnabulent,
Où déambulent
Les troubadours.

De la féerie
De ces prairies
Toutes fleuries
Qui serait las ?
Les plus moroses,
Tous en chœur osent
Chanter la rose
Et le lilas.

4

La nymphe danse,
Danse et cadence
Dans l'ombre dense
Des grands sapins.
Son cœur devine
Dans la ravine,
Ombre divine,
Perlimpinpin.

Devant le trône
Du roi des aunes,
Lutins et faunes
A qui mieux mieux
Font la dînette,
Et des rainettes
La chansonnette
Emplit les cieux.

5

Forêt profonde
Où vagabonde
L'ondine blonde
J'irai te voir.
Dans un collège
Pourquoi devrais-je
Fou sacrilège
Broyer du noir ?

Quand l'hirondelle
A tire d'aile
Monte en chandelle
Au ciel de mai,
Nous, sans fatigue,
Enfants prodigues,
Dansons la gigue
Sur les sommets !

6
Adieu l'école !
Tout caracole :
Sans protocole
La Tour Eiffel
Enjambe vite
Maisons-Laffitte
Et rend visite
A l'arc-en-ciel.

Le rayon de lune

Texte de G. de MAUPASSANT — Musique de J. OLLIVIER

Sais-tu qui je suis? Le ray-on de lu-ne.
Sais-tu d'où je viens? Re - gar-de là-haut.
Ma mère est bril-lante et la nuit est bru-ne,
Je ram - pe sous l'arbre et glis-se sur l'eau.

Sais-tu qui je suis ? Le rayon de lune.
Sais-tu d'où je viens ? Regarde là-haut,
Ma mère est brillante et la nuit est brune.
Je rampe sous l'arbre et glisse sur l'eau.
Je m'étends sur l'herbe et cours sur la dune.
Je grimpe au mur noir, au tronc du bouleau,
Comme un maraudeur qui cherche fortune.
Je n'ai jamais froid, je n'ai jamais chaud.
...

A la va…

TEXTE DE M. CARÊME Musique de C. ORIOL

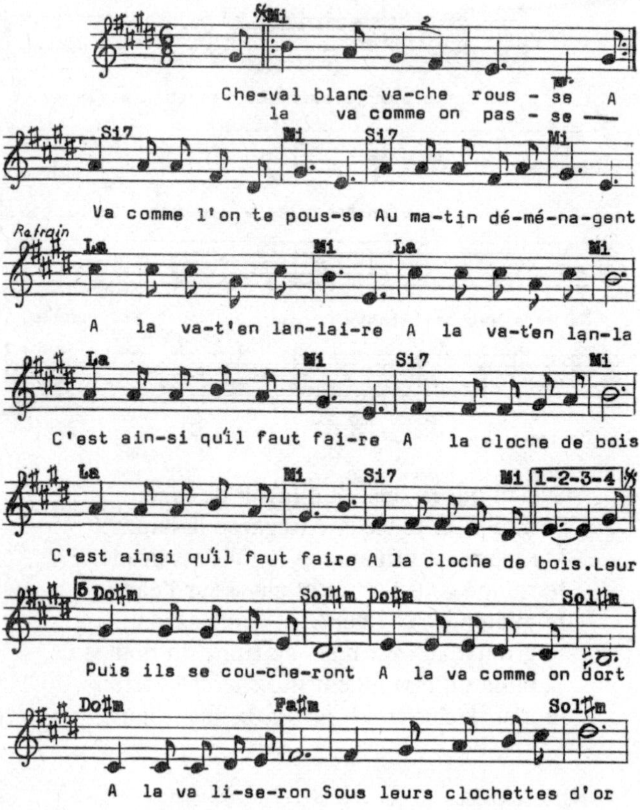
Mi
Che-val blanc va-che rous - se A
la va comme on pas - se
Si7 Mi Si7 Mi
Va comme l'on te pous-se Au ma-tin dé-mé-na-gent
Refrain
La Mi La Mi
A la va-t'en lan-lai-re A la va-t'en lan-la
La Mi Si7 Mi
C'est ain-si qu'il faut fai-re A la cloche de bois
La Mi Si7 Mi 1-2-3-4
C'est ainsi qu'il faut faire A la cloche de bois. Leur
5 Do♯m Sol♯m Do♯m Sol♯m
Puis ils se cou-che-ront A la va comme on dort
Do♯m Fa♯m Sol♯m
A la va li-se-ron Sous leurs clochettes d'or

La Mi La Mi
A la va-t'en lan-lai-re A la va-t'en lan-la
La Mi Si7 Mi
C'est ainsi qu'il faut fai-re A la cloche de bois
La Mi Si7 Mi
C'est ainsi qu'il faut fai-re A la cloche de bois.

1
Cheval blanc, vache rousse,
A la va comme on passe,
Va comme l'on te pousse,
Au matin déménagent.

Refrain
A la va-t'en lan laire
A la va-t'en lan la
C'est ainsi qu'il faut faire
A la cloche de bois

2
Leur charrette trimbale,
A la va comme on balle,
Va comme l'on t'a vu,
Sur les cailloux pointus.
Refrain

3
A la va dans le noir
A la va dans la brume,
Ils seront loin ce soir,
A la cloche de lune.
Refrain

4
Et là-haut les étoiles,
A la va comme balles,
A la va comme billes,
Leur ouvriront leurs grilles.
Refrain

5
Puis ils se coucheront,
A la va comme on dort,
A la va liseron,
Sous leurs clochettes d'or.
Refrain

La pluie

Sol
Ré
Sol
Tom-be Tom-be Tom- be la pluie
Tout le monde est à l'a - bri
Ré7
Y'a qu'mon pe-tit frè- re Qu'est sous la gout-tiè-re
Sol
Ré7
Sol
Pê-chant du pois-son Pour toute la mai - son.

Tombe tombe tombe la pluie
Tout le monde est à l'abri
Y'a qu'mon petit frère
Qu'est sous la gouttière
Pêchant du poisson
Pour toute la maison

Les quatre saisons

Texte de J.-L. MOREAU — Musique de JAMES OLLIVIER

Do
De l'o-rage?Ouh quel raf-fut Le bon
De la neige? Ah quel-le joie Le bon
Do Sol
Dieu ren-tre ses fûts. Du so-leil? Oh quel plai-
Dieu plu-me ses oies.
Do Ré
-sir Le bon Dieu les fait rô - tir De la
Sol Do Fa
grê - le de la grêle Ah zut!sept ans de mal-
Sol
-heur Se dit l'an - ge foot - bal-
Do Sol Sol
-leur Se dit l'an-ge foot-bal-leur.

De l'orage ? Ouh, quel raffut ! } *bis*
Le Bon Dieu rentre ses fûts.

De la neige ? Ah quelle joie ! } *bis*
Le Bon Dieu plume ses oies.

Du soleil ? Oh quel plaisir ! } *bis*
Le Bon Dieu les fait rôtir.

De la grêle, de la grêle *(bis)*

— Ah zut ! sept ans de malheur ! } *bis*
Se dit l'ange footballeur.

Le plus bel enfant du Québec

Texte de J.-L. MOREAU

Musique de JAMES OLLIVIER

De
Dès que l'hi-ver est là regar-de
Dans la cour il mon-te la gar-de
De
Feu-tre sur l'œil et pipe au bec Le plus bel
Le plus bel enfant du Qué-bec.
Refrain Sol
De
enfant du Québec! Le bon - hom-me de nei-
Fa De Sol De Sol
-ge Le bon-hom-me de nei - ge Le bon-
De Fa De Sol De
-hom-me de nei - ge Le bon-hom-me de neige

1
Dès que l'hiver est là, regarde ;
Dans la cour il monte la garde,
Feutre sur l'œil et pipe au bec,
Le plus bel enfant du Québec *(bis)*

Refrain
Le bonhomme de neige } *bis*
Le bonhomme de neige

2
Comme il est fier comme il est drôle
Avec son balai sur l'épaule !
A la carotte de son nez
On peut voir qu'il a chopiné *(bis)*
Refrain

3
En décembre il part en campagne ;
Le cri des corbeaux l'accompagne.
En mai, par le soleil mordu,
Il mourra sans s'être rendu *(bis)*
Refrain

4
Dès que l'hiver est là, regarde :
Dans la cour il monte la garde,
Feutre sur l'œil et pipe au bec,
Le plus bel enfant du Québec ! *(bis)*

Sous les boules du sapin

Texte et musique de S. VERBRACKEL

Couplet
La m
Mi m7
Sous les bou - les du sa - pin lors-que
Lam
La
tôt dans le ma - tin Tu viens voir tous tes ca-
Do
Fa
Sol
Refrain
Do
deaux, N'ou-blie pas le plus beau — No- ël No-
La m
Mi m7
La m
1 Mi m7
-ël Jé - sus est né! No - ël No - ël Jé-
Mi m7
2 Sol
Ré m7
Mi m7
La m
sus est là! No- -ël Jé - sus est là!

1
Sous les boules du sapin
Lorsque tôt dans le matin
Tu viens voir tous tes cadeaux
N'oublie pas le plus beau !

Refrain
Noël ! Noël ! Jésus est né
Noël ! Noël ! Jésus est là.

2
Tu demandes au Père Noël
Qu'il te donne des merveilles,
Si tu cherches d'autres joies
N'oublie pas l'Enfant-Roi !

Refrain

3
Dans l'étable à Bethléem
Est né celui qui nous aime.
Chante sa gloire éternelle
Chante car c'est Noël !

Refrain

Et quand serons-nous sages ?

Sol
Et quand serons-nous sa - ges? Ja-
Ré7
Sol
mais, jamais, ja-mais! La terre nourrit tout, La
Ré7
Sol
terre nourrit tout, Les sa - ges, les sa-ges
sa - ges et les fous

Et quand serons-nous sages ? } *bis*
Jamais, jamais, jamais ! }
La terre nourrit tout *(bis)*
Les sages, les sages,
La terre nourrit tout *(bis)*
Les sages et les fous.

Mon cœur bat

Les amours, les travaux

Canon

Texte de GILLES VIGNEAULT Musique de G. VIGNEAULT
et R. BITEAU

A
Do
Sol 7
B
Les a - mours les tra-vaux Mê - me
le chant d'un oi - seau, Ton coeur, mes
Do Sol
Do
Fa7M
Sol
Do
mots Font tour - ner le mon - de

Les amours, les travaux,
Même le chant d'un oiseau,
Ton cœur, mes mots,
Font tourner le monde.
...

Comptine nouvelle sur un vieil air

Texte de Jacques Charpentreau

Pour finir
Un et un font deux Mon cœur au mi-lieu Un deux
trois C'est pour toi Que mon cœur bat. Ne le dis pas

Un et un font deux
Mon cœur au milieu
Deux et deux font quatre
Ecoute-le battre
Trois et trois font six
La rose ou le lys ?
Quatre et quatre font huit
Mon cœur bat plus vite
Cinq et cinq font dix
Amour ou caprice ?

Un deux trois
C'est pour toi
Que mon cœur bat
Ne le dis pas.

A ma main droite le rosier

Texte de Pierre Menanteau, Air traditionnel

Ré
A ma main droi- te le ro-
Ré
sier Por- te la rose et l'hi - ron-
La
delle,En - trez en ronde, en - trez la
Ré
La
Ré
belle!Voi-ci dé - jà le mois de mai.

A ma main droite le rosier
Porte la rose et l'hirondelle.
Entrez en ronde, entrez la belle !
Voici déjà le mois de mai.

Voici déjà les mois d'hiver :
Entrez la rose de Noël !
Sur les joues pâles de ce gel
Mettez du rose avec du vert !

A ma main droite le rosier
Porte la rose et l'hirondelle.
Entrez en ronde, entrez la belle
Voici déjà le mois de mai.

Il pleut, bergère

Texte de M. Carême — Musique de C. Oriol

La
Il pleut,il pleut ber-gère —— Les mou-
Mi La Fa#m
tons ——sont au ciel—— Il ne res-te sur
La Mi7 La
terre— Que quelques hi-ron-delles.Il ne res-te sur
Mi Mi7 La
terre Que quel-ques hi - ron - delles——

Il pleut, il pleut bergère,
Les moutons sont au ciel.
Il ne reste sur terre
Que quelques hirondelles.

Où irons-nous, bergère ?
Tous les prés sont mouillés.
Les feuilles sont, par terre,
De petits bénitiers.

Mais dans tes yeux bergère,
Le soleil vient chasser
Tout les loups de la terre.
L'arc-en-ciel va briller.

Nous entrerons, bergère,
Par son vaste portail,
Dans un monde où la terre
N'a plus d'épouvantails,

Là où passent, bergère,
Épars sur l'horizon,
Des moutons dont la terre
Ne connaît pas le nom.

Le petit moulin

Folklore alsacien

Traduction anonyme

Vif
Fa
Do7
Il est au bord du Rhin
Do7
Fa
Fa
Tra-dé-ri dé-ra dé-ri et tra-la-la Un tout pe-
Do7
Fa
-tit mou- -lin Tra- dé-ri dé-ri dé-ra.

1
Il est au bord du Rhin
Tradéri, déri déra et tralala
Un tout petit moulin
Tradéri déri déra.

2
On dit qu'un gai lutin
Tradéri déri déra et tralala
Habite ce moulin
Tradéri déri déra.

3
Il fait peur aux voisins
Tradéri déri déra et tralala
Mais moi je l'aime bien
Tradéri déri déra.

4
C'est un meunier malin
Tradéri déri déra et tralala
Que j'épouse demain
Tradéri déri déra.

Mon père avait un petit bois

Chanson enchaînée

Do
Mon père avait un petit bois D'où venez-vous
Do
Lam7
Belle promener a-vec moi. Il y a-vait bien cinq cents
Lam7
noix.D'où ve-nez-vous bel - le D'où ve-nez-vous
Do
Fa
donc. D'où venez-vous promener, vous promener la
Sol7
Do
bel-le D'où venez-vous belle promener a - vec moi.

1
Mon père avait un petit bois,
D'où venez-vous belle promener avec moi ?
Il y avait bien cinq cents noix
D'où venez-vous belle, d'où venez-vous donc ?
D'où venez-vous promener, vous promener la belle,
D'où venez-vous belle promener avec moi ?

2
Il y avait bien cinq cents noix
D'où venez-vous belle promener avec moi ?
Sur les cinq cents j'en mangeai trois
D'où venez-vous belle ?...

3
J'en fus malade plusieurs mois

4
Tous mes parents venaient me voir

5
Mais mon ami ne venait pas.

L'autre jour à la promenade

XVIIIe siècle

Sol
Ré
Sol
L'autre jour à la pro-me-na-de, Le long de
Ré
Ré7
ces tur-lu-tu-tu Le long de ces mi-ron-ton-ton
Sol
Ré
tai - ne, Le long de ces verts
Sol
Ré
Sol
prés, Le long de ces verts prés.

1
L'autre jour à la promenade
Le long de ces turlututu } *bis*
Le long de ces mironton, tontaine
Le long de ces verts prés *(bis)*

2
J'ai rencontré une bergère } *bis*
Une jeune turlututu
Une jeune mironton, tontaine
Une jeune beauté *(bis)*

3
Moi, je me suis approché d'elle } *bis*
C'était pour m'em turlututu
C'était pour m'em mironton, tontaine
C'était pour l'embrasser *(bis)*

4
Elle a saisi sa quenouillette } *bis*
C'était pour l'en turlututu
C'était pour l'en mironton, tontaine
C'était pour m'en frapper *(bis)*

5
Tout beau, tout beau, jeune bergère } *bis*
Je suis votre turlututu
Je suis votre mironton, tontaine
Je suis votre berger *(bis)*

6

Mon berger ne porte point d'armes } *bis*
Ni d'épée au turlututu
Ni d'épée au mironton, tontaine,
Ni d'épée au côté *(bis)*

7

Mon berger n'porte qu'une flûte } *bis*
C'est pour me faire turlututu
C'est pour me faire mironton, tontaine,
C'est pour me faire danser *(bis)*

Je t'aurai ma brunette

Refrain
Sol
Ré
Sol
Je t'au-rai ma bru-net-te Je t'au-
Ré
Sol
Couplet
rai oui ma foi. Si j't'ai pas je m'en i-
Ré
Sol
Ré
Sol
-rai A la guerre A la guerre Si j't'ai
Ré7
Ré
Sol
pas je m'en i- rai A la guerre en Dau-phi-né.

Refrain
Je t'aurai ma brunette }
Je t'aurai, oui ma foi } *bis*

1
Si j't'ai pas je m'en irai
A la guerre, à la guerre,
Si j't'ai pas je m'en irai
A la guerre en Dauphiné
Refrain

2
Si j't'ai pas je me mettrai
Ma chemise ma chemise
Si j't'ai pas je me mettrai
Ma chemise sur mon gilet
Refrain

Pourquoi courir ?

TEXTE DE M. CARÊME

Musique de C. ORIOL

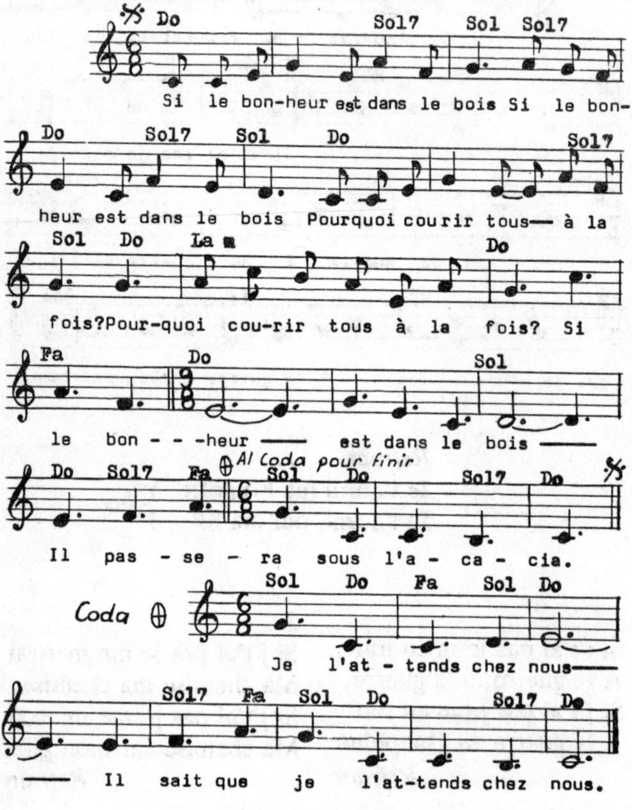
Do Sol7 Sol Sol7
Si le bon-heur est dans le bois Si le bon-
Do Sol7 Sol Do Sol7
heur est dans le bois Pourquoi courir tous— à la
Sol Do La m Do
fois?Pour-quoi cou-rir tous à la fois? Si
Fa Do Sol
le bon - - -heur — est dans le bois —
Al Coda pour finir
Do Sol7 Fa Sol Do Sol7 Do
Il pas - se - ra sous l'a - ca - cia.
Coda
Sol Do Fa Sol Do
Je l'at - tends chez nous—
Sol7 Fa Sol Do Sol7 Do
— Il sait que je l'at-tends chez nous.

Si le bonheur est dans le bois,
Pourquoi courir tous à la fois ?
Si le bonheur est dans le bois,
Il passera sous l'acacia.

Si le bonheur est dans le pré,
Pourquoi bondir à s'essoufler ?
Si le bonheur est dans le pré,
Il en sortira le premier.

Si le bonheur est dans les champs,
Pourquoi le chercher dans le vent ?
Si le bonheur est dans les champs,
Il viendra vers nous en chantant.

Que le bonheur soit n'importe où,
Entends-tu, mon cœur, le coucou ?
Que le bonheur soit n'importe où,
Il sait que je l'attends chez nous.

C’est monsieur de tout-y-faut

Chanson enchaînée

Sol
C'est Mon-sieur de Tout- y -faut qui veut
Ré
La7
ma-ri-er sa fil-le.Quand ce vint pour la ma-
Ré
La7
Ré
-rier N'a point de prêtre à l'é-gli-se. Tout y
Ré7
Sol
faut tout y va, En-fin tout y va fort mal.

1
C’est Monsieur de tout-y-faut *
Qui veut marier sa fille
Quand ce vint pour la marier
N’a point de prêtre à l’église

* Tout lui manque.

Refrain
Tout y faut, tout y va
Enfin tout y va fort mal

2
Quand ce vint pour la marier
N'a point de prêtre à l'église
Quand ce vint pour le dîner
La viande est à la boucherie
Refrain

3
Quand ce vint pour le dîner
La viande est à la boucherie
Quand ce vint pour le souper
La viande n'était pas cuite
Refrain

4
Quand ce vint pour le souper
La viande n'était pas cuite
Quand ce vint pour le coucher
Les draps sont à la lessive
Refrain

Les noces du papillon

Paroles de Maurice Bouchor — Ronde populaire

Choeur
Mi m
Il faut te ma - ri -
Il faut te ma - ri-
Mi m6
Mi m
Un seul
er Pa - pil-lon couleur de nei - ge
er Par- de-vant le vieux mû-rier.
Chers a-
Mi m7
Mi m
Mi m7
-mis, me ma - rie-rai -je Sans me faire un peu pri-
Mi m
Mi m6
-er ? -Il faut te ma-ri - er Pa - pil-
-Il faut te ma-ri - er Par - de-
Si m7
Mi m
Si
Pour finir
Mi
-lon couleur de nei - ge
-vant le vieux mû-rier
-vant le vieux mû-rier.

1
— Il faut te marier,
Papillon couleur de neige ;
Il faut te marier
Par-devant le vieux Mûrier.
— Chers amis me marierai-je
Sans me faire un peu prier ?
— Il faut te marier
Papillon couleur de neige
Il faut te marier
Par-devant le vieux Mûrier.

2
— Moi, dit le Limaçon,
Pour loger ta papillonne,
Moi, dit le Limaçon,
Je te cède ma maison.
— Ce qu'un brave cœur me donne,
Je l'accepte sans façon.
— Moi, dit le Limaçon...

3
— J'ai là dit la Fourmi,
Des fragments de vertes cosses,
J'ai là dit la Fourmi
Quelques grains de blé parmi.
— Ah ! le beau repas de noces !
Tu régales ton ami
— J'ai là dit la Fourmi...

4
— Moi, dit l'Abeille d'or,
Mon dessert fera merveille
Moi, dit l'Abeille d'or,
J'ai du miel liquide encor.
— Grand merci, gentille Abeille,
Qui partages ton trésor !
— Moi, dit l'Abeille d'or...

5
— Voici, cher Papillon,
Pour le bal fifre et timbale ;
Voici, cher Papillon
La musique du sillon.
— C'est aimable à vous, Cigale,
C'est aimable à toi, Grillon !
— Voici, cher Papillon...

6
— Pour toi je vais briller
Dit le Ver luisant dans l'herbe,
Pour toi je vais briller
Ne te fais donc plus prier.
— Chers amis, tout est superbe ;
Je veux bien me marier !
Il faut te marier...

On peut chanter en dialoguant : le chœur chante le début et la fin de chaque strophe et un enfant, les répliques du papillon.

Qui marierons-nous ?

Chanson de récréation

Do Sol7 Do Do Sol7
Qui ma- rie- rons-nous,Qui ma- rie- rons-
Do Sol7 Do Sol7
nous?Ah!Mam'zelle ce se-ra vous,Par ce joli jeu d'amou-
Do Sol7 Do
rette Ah!Mam'zelle ce se-ra vous Par ce joli jeu d'a-mour

2
Choisissez-vous un époux *(bis)*
Et alors embrassez-vous
Par ce joli jeu d'amourette
Et alors embrassez-vous
Par ce joli jeu d'amour.

3
Puis mettez-vous à genoux *(bis)*
Et après ce sera tout
Par ce joli jeu d'amourette
Et après ce sera tout
Par ce joli jeu d'amour.

La noce

Texte de Jean-Luc Moreau Musique de James Ollivier

Couplet
Do
C'est ce soir que se ma-rient La puce et le
pou Le cloporte à la mai-rie U-nit les é-poux
Fa
La pro-mise est fort bien mi-se En jupe et tri-cot
Sol
Fa
Sol
Le pou porte u - ne che-mi - se De teinte a-bri-cot
Refrain
Do
Fa
Sol
Do
Et dé - jà tous les convi-ves chantent:vi-ve vi - ve
Do
Fa
Sol
Sol
Do
Chantent:vi-ve les é -poux Vi -ve les é----poux Pou.

1

C'est ce soir que se marient
    La puce et le pou.
Le cloporte à la mairie
    Unit les époux.
La promise est fort bien mise
    En jupe et tricot ;
Le pou porte une chemise
    De teinte abricot.
Et déjà tous les convives
    Chantent : vive, vive
Chantent : vive les époux,
    Vive les époux Pou.

2

Cependant le scolopendre
    Qui fait les cent pas
Tape du pied, las d'attendre
    Qu'on passe au repas.
Les larbins, six doryphores
    Des plus séduisants,
Ont mis la table où phosphorent
    Trente vers luisants,
Ce voyant, tous les convives
    Chantent : vive, vive,
Chantent : vive les époux,
    Vive les époux Pou.

3
Bourdons, charançons, cétoines
De bon appétit
Tartinent la macédoine
Sur le clafoutis.
Le cousin, que sa cousine
Ne perd pas des yeux,
Fait la cour à sa voisine
La bête à bon Dieu.
Et sans cesse les convives
Chantent : vive, vive,
Chantent : vive les époux,
Vive les époux Pou.

4
Les moustiques s'entremordent
Grisés de muscat.
Déjà la cigale accorde
Son harmonica.
La fourmi sur une corde
Dansant la polka,
Atterrit — miséricorde ! —
Dans le tapioca.
Aussitôt tous les convives
Chantent : vive, vive,
Chantent : vive les époux,
Vive les époux Pou.

5

Nul devant la tarte aux fraises
Ne fait de quartier.
Seul le pou file à l'anglaise
Avec sa moitié.
Quel beau voyage de noces
Nos époux feront !
On a taillé leur carrosse
Dans un potiron.
Jusqu'à l'aube les convives
Chantent : vive, vive,
Chantent : vive les époux,
Vive les époux Pou.

Dites-moi qu'avez-vous ?

Folklore

Ré
Ré
Di-tes - moi qu'a-vez - vous, Jean-
La7
Ré
Pier-re mon gen- dre, Di-tes - moi qu'a- vez -
Ré
La7
Ré
Fin
vous? Ma fille est bien à vous. Vo -
La
Mi
Si7
Mi
La
-tre fille est un diable qui casse et bri-se tout.

1
— Dites-moi qu'avez-vous ?
Jean-Pierre mon gendre
Dites-moi qu'avez-vous ?
Ma fille est bien à vous
— Votre fille est un diable
Qui brise et casse tout

2

— Que ne la battez-vous ?
Jean-Pierre mon gendre
Que ne la battez-vous ?
Ma fille est bien à vous
— Et quand je veux la battre
Elle me saute au cou

3

— Que ne l'embrassez-vous ?
Jean-Pierre mon gendre
Que ne l'embrassez-vous ?
Ma fille est bien à vous
— Mais lorsque je l'embrasse
Ell' me traite de fou

4

— Que ne la croyez-vous ?
Jean-Pierre mon gendre
Que ne la croyez-vous ?
Ma fille est bien à vous.

Le p'tit bois d'amour joli

Do
Der-rière chez nous, vous n'sa-
Sol
Sol7
-vez pas ce qu'il y'a Il y a un bois Un p'tit
Do
Sol7
Do
bois d'a-mour Mesda-mes Un p'tit bois d'a-mour jo -li

1
Derrière chez nous vous ne savez pas ce qu'il y-a ? *(bis)*
Il y a un bois,
Un p'tit bois d'amour, Mesdames
Il y a un bois,
Un p'tit bois d'amour joli.

2
Dans ce p'tit bois, vous n'savez pas ce qu'il y-a ? *(bis)*
Il y a un ro
Un rosier d'amour Mesdames
Il y a un ro
Un rosier d'amour joli.

3
Sur ce rosier, vous n'savez pas ce qu'il y-a ? *(bis)*
Il y a un nid
Un p'tit nid d'amour Mesdames
Il y a un nid
Un p'tit nid d'amour joli.

4
Dans ce petit nid, vous n'savez pas ce qu'il y-a ? *(bis)*
Il y a un œuf
Un p'tit œuf d'amour Mesdames,
Il y a un œuf
Un p'tit œuf d'amour joli.

5
Dans ce p'tit œuf, vous n'savez pas ce qu'il y-a ? *(bis)*
Il y a un oi
Un oiseau d'amour Mesdames,
Il y a un oi
Un oiseau d'amour joli.

6
Dans cet oiseau, vous n'savez pas ce qu'il y-a ? *(bis)*
Il y a un cœur
Un p'tit cœur d'amour Mesdames
Il y a un cœur
Un p'tit cœur d'amour joli.

7
Dans ce p'tit cœur, vous n'savez pas ce qu'il y-a ? *(bis)*
Il y a un bi
Un billet d'amour Mesdames,
Il y a un bi
Un billet d'amour joli.

8
Sur ce billet, vous n'savez pas ce qu'il y-a ? *(bis)*
Il y a : Je suis
Votre serviteur Mesdames
Il y a : je suis
Votre serviteur joli.

Petites et grosses bêtes

Tout au fond de la mer

Do
Tout au fond de la mer les pois-
At- ten-dant pa - tiem-ment qu'les pé-
Fa
Do
Sol
sons sont as-ssis Les poissons sont as-sis ah ah
cheurs soient partis Les pécheurs soient partis ah ah
Do
Do
Sol
ah!
O - hé du ba-teau du grand
Sol7
1 Do
2 Do
mât de la hu - ne
mât des hu- -niers

1
Tout au fond de la mer les poissons sont assis
Les poissons sont assis ah ! ah ! ah !
Attendant patiemment qu'les pêcheurs soient partis
Qu'les pêcheurs soient partis ah ! ah ! ah !

Refrain
Ohé du bateau du grand mât de la hune
Ohé du bateau du grand mât des huniers.

2
Y-a des vétérans tout barbus tout fripés
  Tout barbus tout fripés ah ! ah ! ah !
Échappés bien souvent des hameçons des filets
  Des hameçons, des filets, ah ! ah ! ah !
Refrain

3
Les plus jeunes poissons passent ainsi leur temps
  Passent ainsi leur temps ah ! ha ! ha !
Egayant les grands fonds de leurs cris de leurs chants
De leurs cris, de leurs chants, ah ! ha ! ha !
Refrain

4
Et voilà donc pourquoi s'en retournent au port
  S'en retournent au port ah ! ha ! ha !
Tous les grands terreneuvas les cales vides jusqu'au bord
  Les cales vides jusqu'au bord ah ! ah ! ah !
Refrain

Un escargot

Texte de Marie-Annick Rétif   Musique de Jo Akepsimas

Do Fa Sol7 Do
Un es-car-got dans l'es-ca - lier
Cherchait la por - te du gre - nier
Do7 Fa Sol Do
En tré-bu - chant il s'est co - gné
Ré m7 Do Ré m7 Sol7 Sol7 Do
Dans u -ne toi- le d'a-rai - gnée. d'a-rai-gnée.

1
Un escargot dans l'escalier
Cherchait la porte du grenier,
En trébuchant il s'est cogné } *bis*
Dans une toile d'araignée

2
Sous l'escalier bien à l'abri
Comme une étoile au fond du puits
Dans sa maison de satin gris } *bis*
Une araignée sort de son lit

3
Une souris vient la chercher
« Venez Madame sans tarder !
Un escargot s'est pris le pied } *bis*
Dans les dentelles du grenier ».

4
Dame Araignée couleur de nuit
Dénoue ses toiles d'organdi
Pour délivrer un étourdi } *bis*
Et s'en faire un nouvel ami.

La pomme et l'escargot

Texte de Charles Vildrac   Musique de James Ollivier

La
Il y a-vait u-ne pom-me A la
La
ci - me d'un pom - mier. Un grand coup de vent d'au-
Si7
Mi
tom - ne La fit tom - ber dans le
La Ré La Ré
pré. Pomme, Pomme t'es-tu fait mal?-J'ai l'men-
La
Ré
-ton en mar - me -la -de. Pomme,Pomme t'es-tu fait
La Ré La Mi7 La
mal? Le nez fen - du et l'œil po-ché.

1
Il y avait une pomme
A la cime d'un pommier
Un grand coup de vent d'automne
La fit tomber dans le pré.

Refrain
— Pomme, pomme, t'es-tu fait mal ?
— J'ai le nez en marmelade.
— Pomme, pomme, t'es-tu fait mal ?
— Le nez tordu et l'œil poché.

2
Elle tomba, quel dommage
Sur un petit escargot
Qui s'en allait au village
Sa demeure sur le dos
Refrain

3
— Ah ! stupide créature !
Gémit l'animal cornu
T'as défoncé ma toiture
Et me voilà faible et nu.
Refrain

4
Dans la pomme à demi-blette
L'escargot comme un gros ver
Creusa, rongea sa chambrette
Afin d'y passer l'hiver.
Refrain

5
Ah ! mange-moi, dit la pomme
Puisque c'est là mon destin
Par testament je te nomme
Héritier de mes pépins.
Refrain

6
Tu les mettras dans la terre
Vers le mois de février
Il en sortira j'espère
De jolis petits pommiers.
Refrain

Un moineau

Paroles et musique d'HENRI DÈS

Ré La Ré7 La7 Ré Sol
Un moi-neau Sur ton dos, Ça pi-
La7 Ré7 Si m Mi m La7 Sol7 Ré
co- te, ça pi-co- te, Ça pi-co- te Ton cha-peau.

Un moineau
sur ton dos
Ça picote *(ter)* } *bis*
Ton chapeau }

Un ramier
Sur ton nez
Ça pinçote *(ter)* } *bis*
Ton bonnet }

Une mouette
Sur ta tête
Ça dépiaute *(ter)* } *bis*
Ta casquette }

L'oiseau bleu de nuit

Texte et musique de LUC DECAUNES

Do
Il est tard et ton a - mi——
Sol
Do
——L'oiseau bleu s'est en - dor - mi —— Et l'on
Sol
Ré7
n'entend pour tout bruit—— Que le ruisseau qui s'en-
Sol
Do
Sol
fuit—— En-dors-toi mon fils à moi—— Il est
Do
Sol
Sol7
Do
tard et ton a - mi—— L'oiseau bleu s'est en-dor-mi.

Il est tard, et ton ami
L'oiseau bleu s'est endormi,
Et l'on n'entend pour tout bruit
Que le ruisseau qui s'enfuit.

Endors-toi,
Mon fils à moi
Il est tard et ton ami
L'oiseau bleu s'est endormi.

L'oiselet

Texte et musique d'Émile JAQUES-DALCROZE

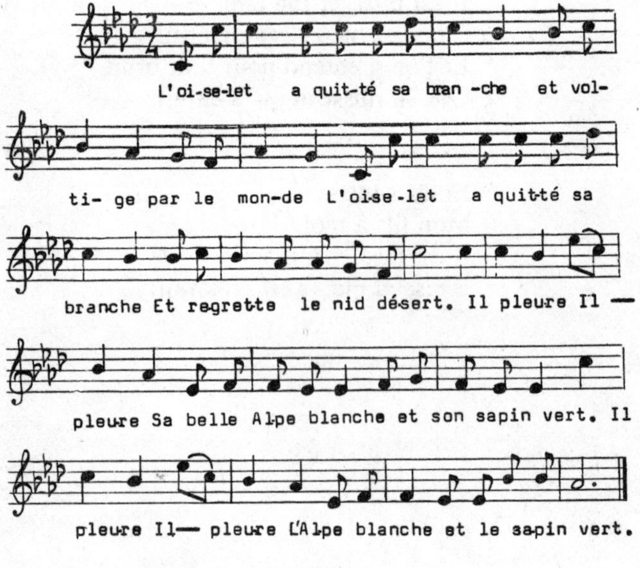
L'oi-se-let a quit-té sa bran -che et vol-
ti- ge par le mon-de L'oi-se -let a quit-té sa
branche Et regrette le nid désert. Il pleure Il —
pleure Sa belle Alpe blanche et son sapin vert. Il
pleure Il— pleure L'Alpe blanche et le sapin vert.

1
L'oiselet a quitté sa branche
Et voltige par le monde,
L'oiselet a quitté sa branche
Et regrette le nid désert.

Refrain
Il pleure, il pleure
Sa belle Alpe blanche et son sapin vert.
Il pleure, il pleure,
L'Alpe blanche et le sapin vert.

2
L'oiselet a couru le monde,
Visité la terre entière,
L'oiselet a couru le monde
Et regrette le nid désert.
Refrain

3
Et lassé de la terre entière,
L'oiseau, l'aile fatiguée,
Et lassé de la terre entière
Vient mourir en son nid désert.

Refrain
Qu'il meure, qu'il meure
Près de l'Alpe blanche et du sapin vert.
Qu'il meure, qu'il meure,
Près de l'Alpe et du sapin vert.

Le faisan mort

Texte de M. Carême

Musique de C. Oriol

Do m
Sol m7
Do m
Sol m7
Qui a su, qui a su? per-son - ne
Do m
Do m7
Do m
Sol m7
Que le pe-tit fai-san est mort En é-cou-tant tin-
Do m7
Do m
Sol m
Sol m
1-2
ter les cors Dans la gran-de fo-rêt d'au-tom- ne
3
Sol m
Do m7
Ré m7
Sol m7
nes Per-son - ne, ja-mais plus per-sonne

1
Qui a su, qui a su, personne,
Que le petit faisan est mort
En écoutant tinter les cors
Dans la grande forêt d'automne ?

2

Loin de sa mère au pied de l'aune
Où la brise le pleure encor,
Qui a su, qui a su, personne,
Que le petit faisan est mort ?

3

Recouvert par les feuilles d'or,
Il s'enfonce dans l'herbe jaune.
Ah ! qui s'en souviendra encor
Quand fleuriront les anémones ?
Personne, jamais plus, personne...

Un canard déployant ses ailes

Mib
Un ca - nard dé-ploy-ant ses
Sib7
ai-les coin coin coin Di-sait à sa ca-ne fi-
Mib Lab
-dè- le coin coin coin Il di- sait coin coin
Mib
coin Il chantait coin coin coin Quand donc au-
Sib7 Mib
rons-nous des enfants coin coin coin coin.Quand donc fi-
Sib7 Mib
-ni-ront nos tourments coin coin coin coin Dis-moi
Mib Sib7
oui Dis-moi non Dis-moi si tu m'ai- mes Dis-moi

oui Dis – moi non Dis-moi oui ou non. Dis-moi oui Dis-moi si tu m'ai-mes, Dis-moi non Dis-moi oui ou non!

1

Un canard déployant ses ailes
Coin, coin, coin
Disait à sa cane fidèle
Coin, coin, coin
Il disait coin, coin, coin
Il chantait coin, coin, coin
Quand donc aurons-nous des enfants
coin, coin, coin, coin,
Quand donc finirons nos tourments
Coin, coin, coin, coin,
Dis-moi oui Dis-moi non Dis-moi si tu m'aimes
Dis-moi oui Dis-moi non Dis-moi oui ou non.
Dis-moi oui Dis-moi si tu m'aimes
Dis-moi non Dis-moi oui ou non !

2

Deux canards déployant leurs ailes
Coin coin coin
Disaient à leurs canes fidèles...

La chanson se continue indéfiniment avec trois canards, quatre, cinq, etc.

Le Canard et le Chien

Chanson d'étudiants

Fa
V'la l'canard lui- mê - me qui
Do7
Fa
vient,Lui-mê-me qui vient,Lui-mê-me qui vient Et qui
Do7
dit: Oh! le vi-lain chien, Oh! le vi-lain
Fa
Do
Fa
chien Oh!le vilain chien V'la le chien qui lui saute au
Do7
cou, Qui lui saute au cou, Qui lui saute au
Fa
Sib
Fa
cou Et v'la l'canard qu'est mort sur l'coup
(cou Et v'la la femme du canard qu'est morte sur l'coup

2
V'là la femme du canard qui vient
    Canard qui vient *(bis)*
Et qui dit : « Oh ! le vilain chien
    Oh ! le vilain chien » *(bis)*
V'là le chien qui lui saute au cou
    Qui lui saute au cou *(bis)*
Et v'là la femme du canard qu'est morte sur l'coup.

3
V'là le fils du canard qui vient

4
V'là le père du canard qui vient

5
V'là la mère du canard qui vient

6
V'là le frère du canard qui vient

7
V'là la sœur du canard qui vient

On peut continuer indéfiniment avec toute la famille.

Promenade aux Tuileries

Texte de J. Charpentreau Musique de M. Rongier

Modéré
Pe - tits â - nes des Tui - le -
Vous a - van - cez ca - hin ca -
ries A pas comp - tés A pas pré - cis Vous par-
-ha Vo-tre tê - te de-ci de - là Un long
cou - rez l'a-près mi - di Poils roux poils
voy - age à pe - tits pas Poils longs poils
gris Un long voy - age à pe- tits pas Poils
ras
longs poils ras Poils longs poils ras.

1

Petits ânes des Tuileries
A pas comptés, à pas précis
Vous parcourez l'après-midi
Poils roux poils gris

Vous avancez cahin-caha
Votre tête deci-delà
Un long voyage à petits pas
Poils longs poils ras
Poils longs poils ras. } *bis*

2

Encore un pas encore un tour
Petits voyageurs au long cours
Douces oreilles de velours
Poils fins poils courts

Petis ânes voici le soir
Un dernier tour il va falloir
Maintenant se dire bonsoir
Poils blancs poils noirs
Poils blancs poils noirs. } *bis*

Chevauchée

Paroles de J. Ruelle Musique de Léon Lemoine

Sol
Ré7
Ha! ha! ha! Mon che- val au
Sol
Ré
Sol
pas. Sois sou- mis ou l'on se fâ - che
A- lors gare à la cra- va - che
Ré7
Sol
Mon che-val au pas Ha ha ha ha ha!

2
(Vite)
Hi ! hi ! hi !
Plus vite l'ami !
Votre train fort bien cahote
Mais pourtant il faut qu'on trotte
Plus vite l'ami
Hi hi hi hi hi !

3

(Très vite)

Ho ! ho ! ho !
Cheval au galop !
Laissons loin vents et tonnerre
Mais ne roulons pas à terre
Cheval au galop
Ho ho ho ho ho !

4

(Lent)

Hé ! hé ! hé !
Je suis démonté !
Mon cheval de guerre lasse,
M'a jeté là sur la place
Je suis démonté
Hé hé hé hé hé !

5

(Vite)

Bien ! bien ! bien !
Tout cela n'est rien !
Lorqu'on tombe point de honte
Sur son cheval on remonte
C'est là le moyen
De chevaucher bien.

J'avais une vache

Texte de Jean Tardieu — Musique de Max Rongier

Do
j'a-vais u -ne vache Elle est au sa - lon
Do7
Do
Do
Elle est au sa-lon Elle est au sa-lon Elle est au sa-lon
La la la la la la la la la la

1
J'avais une vache *(bis)*
Elle est au salon } *bis*
Elle est au salon }
La la la la la la la la la la

2
J'avais une rose *(bis)*
Elle est en chemise } *bis*
Et en pantalon }
La la la…

3
J'avais un cheval *(bis)*
Il cuit dans la soupe } *bis*
Et le court-bouillon }
La la la...

4
J'avais une lampe *(bis)*
Le ciel me l'a prise } *bis*
Pour les nuits sans lune }
La la la...

5
J'avais un soleil *(bis)*
Il n'a plus de feu
Je n'y vois plus goutte
Je cherche ma route
Comme un malheureux
La la la la la la la la la la

Le lion de Denfert-Rochereau

Texte de J. Charpentreau — Musique de J. Ollivier

Couplets 1.2 et 5.6
Sol
A Den- fert Ro - che - reau, Sur son
Au mi- lieu de la nuit, le lion
Ré7
so - cle là - haut, Un lion très comme il
baille et s'en-nuie, Il sau- te de son
Sol
faut Sur - veil - le les au - tos Du ma-
socle, Il chaus- se son bi - nocle Il
Do
-tin jusqu' au soir, Il fait plai- sir à
prends son pa - ra -pluie Et dis - pa - raît sans
Ré7
voir I - ma - ge du de - voir C'est
bruit Dans les rues de Pa - ris La
Sol
Fin
Couplet 3
Sol7
un lion sans his-toires
nuit les lions sont gris.
Quand le temps est au
Do
Sol7
Do
beau Le lion fait du vé - lo, Quand le

Sol
Ré
temps est à l'eau Il fait du pé - da-lo — Il
Sol7
La7
va voir ses a -mis Les che-vaux de Mar-ly, Les
Ré7
Ré
Ré7
Ré
lionceaux et les lions Pla-ce de la Na -tion

1
A Denfert-Rochereau
Sur son socle là-haut
Un lion très comme il faut
Surveille les autos.
Du matin jusqu'au soir
Il fait plaisir à voir,
Image du devoir
C'est un lion sans histoires.

2

Au milieu de la nuit
Le lion bâille et s'ennuie.
Il saute de son socle,
Il chausse son binocle,
Il prend son parapluie
Et disparaît sans bruit
Dans les rues de Paris
La nuit les lions sont gris.

3

Quand le temps est au beau
Le lion fait du vélo,
Quand le temps est à l'eau
Il fait du pédalo,
Il va voir ses amis
Les chevaux du Marly,
Les lionceaux et les lions
Place de la Nation.

4
Il revient au matin
D'un pas plus incertain,
Il ôte son binocle,
Il saute sur son socle
Et devient aussitôt
Un lion très comme il faut
Immobile là-haut
A Denfert-Rochereau.

5
Comme un vieux Parisien
Le lion va le lion vient,
Personne n'en sait rien
Mais en écoutant bien
On entend tout là-haut
A Denfert-Rochereau
Le gros lion qui ronronne
Ne le dis à personne.

Le dromadaire

Texte de PAUL SAVATIER   Musique de JACQUES DOUAI

Couplets 1-3-5
Do
Un jour au Caire Un dro- ma-
Sol7 Do Sol7
daire En- tra chez un li-braire Et prit u - ne gram-
Do Refrain Do Sol7
maire C'n'est pas vrai ça n'fait rien ce s'ra vrai de-
Do Al coda pour finir
main. C'n'est pas vrai ça n'fait rien Ce s'ra vrai de-
Couplets 2-4 Do
main. Ce dro- ma - daire sa-vait tout
Sol7 Sol7 Do
faire, Mul-ti-pli-er, soustraire Et même le con-traire
Coda Sol Do
Ce s'ra vrai de-main Ou à la Saint Glinglin!

1
Un jour au Caire
Un dromadaire
Entra chez un libraire
Et prit une grammaire.

Refrain
C'n'est pas vrai, ça n'fait rien
Ce sera vrai demain.

2
Ce dromadaire
Savait tout faire
Multiplier, soustraire
En même le contraire.
Refrain

3
Il savait braire
Ou bien se taire
Et versait un salaire
A son vétérinaire.
Refrain

4
Pour se distraire
Monsieur le Maire
En fit son secrétaire
Dans toutes ses affaires.
Refrain

5
Ce dromadaire
Est légendaire
Chez tous les antiquaires
De la ville du Caire.

Refrain
C'n'est pas vrai, ça n'fait rien } *bis*
Ce sera vrai demain }
Ou à la saint Glinglin !

Gens qui pleurent gens qui rient

Petit Pierre

La
Pe-tit Pierre Hausse-moi Que je
Mi
La
vois la fu- sée qui vo - le Pe-tit
Mi7
La
Pierre hausse-moi Que je vois la fu-sée vo-ler

Petit Pierre hausse-moi
Que je voie la fusée qui vole
Petit Pierre hausse-moi
Que je voie la fusée voler.

Napoléon

Chanson de récréation

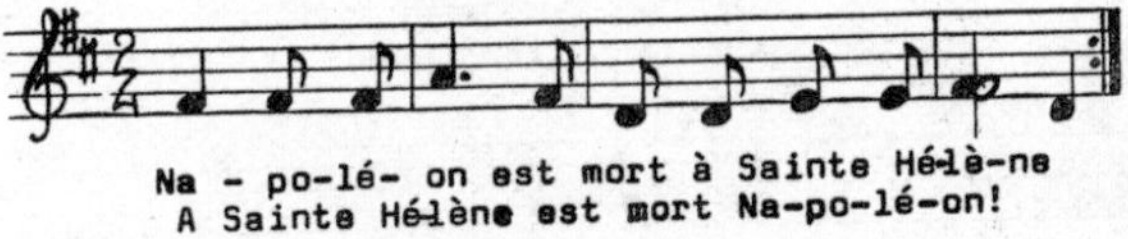
Na - po-lé- on est mort à Sainte Hé-lè-ne
A Sainte Hélène est mort Na-po-lé-on!

Napoléon est mort à Sainte-Hélène
A Sainte-Hélène est mort Napoléon
On l'a trouvé sur le dos d'une baleine
En train d'tisser les fils de son cal'çon

Autres versions

A Sainte-Hélène est mort Napoléon
Son fils Léon lui a crevé l'bidon
On l'a trouvé sur le dos d'une baleine
En train d'tisser le costume de la reine

Napoléon est mort à Sainte-Hélène
Son fils Léon lui a crevé l'bidon
On l'a trouvé sur le dos d'une baleine
En train d'filer le costume de la reine

Quand le petit bossu

Ré Ré Sol
Quand le p'tit bos-su va cher-cher du
Ré Sol Ré La
lait Il n'y va ja - mais sans son pot - au -
Ré Ré Sol
lait Il dit a - lors à la lai-
Tout en fai-sant ses p'tites ma-
Ré Ré
-tiè-re
-nières
Don-nez-moi du lait Dans mon pot-au-
Ré Ré Sol
lait Non ja - mais on n'a - vait
Ré Sol Ré La7 Ré
vu De pe - tit bos-su aus - si ré-so-lu.

1
Quand le petit bossu va chercher du lait
Il n'y va jamais sans son pot-au-lait
Il dit alors a la laitière
Tout en faisant ses petites manières
Donnez-moi du lait
Dans mon pot-au-lait

Refrain
Non jamais on n'avait vu
De petit bossu
Aussi résolu
} *bis*

2
Quand le petit bossu va chercher du pain
Il n'y va jamais sans son sac à pain
Il dit alors à la boulangère
Tout en faisant ses petites manières
Donnez-moi du pain
Dans mon sac à pain

Refrain

3
Quand le petit bossu va chercher des fruits
Il n'y va jamais sans son parapluie
Il dit alors à la fruitière
Tout en faisant ses petites manières
Donnez-moi des fruits
Dans mon parapluie

Refrain

Jean qui pleure et Jean qui rit

Paroles et musique de CLAUDE AUGÉ.

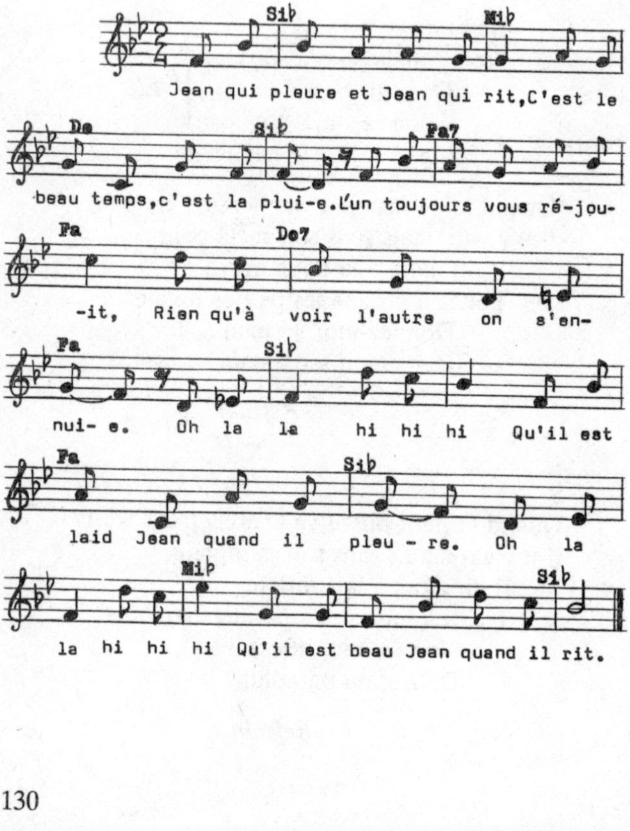
Sib
Mib
Jean qui pleure et Jean qui rit, C'est le
Do
Sib
Fa7
beau temps, c'est la plui-e. L'un toujours vous ré-jou-
Fa
Do7
-it, Rien qu'à voir l'autre on s'en-
Fa
Sib
nui- e. Oh la la hi hi hi Qu'il est
Fa
Sib
laid Jean quand il pleu - re. Oh la
Mib
Sib
la hi hi hi Qu'il est beau Jean quand il rit.

2
Quand Jean qui pleure apparaît
Jean qui rit rit à se tordre
De son œil rouge et distrait,
De ses cheveux en désordre
    Oh ! Oh la ! hi ! hi ! hi...

3
Jean qui rit sois indulgent :
Avant d'éclater de rire,
Demande à ce pauvre Jean
Pourquoi toujours il soupire
    Oh ! oh ! oh ! ah ! ah ! ah !
Ne nous hâtons pas de rire
    Oh ! oh ! oh ! ah ! ah ! ah !
Des misères d'ici-bas !

4
Rire comme Jean qui rit,
Pleurer comme Jean qui pleure,
Ce n'est point montrer d'esprit :
A chaque chose son heure.
    Oh ! oh ! oh ! ah ! ah ! ah !
Rions au bonheur des autres,
    Oh ! oh ! oh ! hi ! hi ! hi !
Pleurons au chagrin d'autrui.

Jean de la Lune

Paroles et musique d'ADRIEN PAGÈS

Sol
Par u- ne tiè- de nuit de prin-temps
Sol
Sol
Il y a bien de ce-la cent ans,Que sous un brin de per-
Sol
Ré
Sol
sil,sans bruit,Tout me-nu na-quit Jean de la
Ré
Sol
Ré7
Sol
Lu - - ne Jean de la Lu - - - ne

1
Par une tiède nuit de printemps,
Il y a bien de cela cent ans,
Que, sous un brin de persil, sans bruit,
    Tout menu naquit
    Jean de la lune *(bis)*

2
A peine haut comme un champignon
Il avait l'air d'un petit trognon
Et, jaune et vert comme un perroquet,
    Avait bon caquet
    Jean de la lune *(bis)*

3
Pour canne il avait un cure-dent,
Clignait d'un œil, marchait en boitant,
Et demeurait en toute saison
    Dans un potiron
    Jean de la lune *(bis)*

4

On le voyait passer quelquefois
Dans un coupé gros comme une noix,
Et que le long des sentiers fleuris,
    Traînaient deux souris
    Jean de la lune *(bis)*

5

Quand il se risquait à travers bois,
De loin, de près, de tous les endroits,
Merles, bouvreuils, sur leur mirliton
    Répétaient en rond :
    Jean de la lune *(bis)*

6

Si par hasard s'offrait un ruisseau
Qui l'arrêtait sur place, aussitôt,
Trop petit pour le franchir d'un bond,
    Faisait d'herbe un pont,
    Jean de la lune *(bis)*

7
Quand il mourut chacun le pleura,
Dans son potiron on l'enterra,
Et pour épitaphe on écrivit
    Sur la Croix : Ci-gît ;
    Jean de la lune *(bis)*

Le boulanger

Texte de J. Charpentreau Musique : Contredanse La Trénitz
Clé du Caveau n° 717

Ré
A An-gers, Man - ge man - ge
La7
man-ge man-ge, Vi - ve la bou-lan-ge
Ré
A An-
La7
gers Il y a un
La
bou - lan -
Ré
ger

A Angers
Mange mange mange mange
Vive vive la boulange
A Angers
Il y a un boulanger

Il sait faire
Mange mange mange mange
Vive vive la boulange
Il sait faire
Le meilleur pain de la terre

Il pétrit
Mange mange mange mange
Vive vive la boulange
Il pétrit
Pâte à pain et patati

Dans son four
Mange mange mange mange
Vive vive la boulange
Dans son four
Le feu flambe et fait des tours

Feu de bois
Mange mange mange mange
Vive vive la boulange
Feu de bois
Le pain se dore pour moi

Il brasille
Mange mange mange mange
Vive vive la boulange
Il brasille
Il croque il craque il croustille

A Nanterre
Mange mange mange mange
Vive vive la boulange
A Nanterre
Il y a une patissière

Elle fait
Mange mange mange mange
Vive vive la boulange
Elle fait
Gâteaux secs et gâteaux frais

Tartes rondes
Mange mange mange mange
Vive vive la boulange
Tartes rondes
Les meilleurs gâteaux du monde

A Paris
Mange mange mange mange
Vive vive la boulange
A Paris
Il faudra qu'on les marie.

L'horloger

Texte de Lise Deharme Musique de Jacques Douai

Ré
La pe- ti- te bê - te Qui est dans la
La7
mon-tre Je l'en-tends grat-ter Je l'en-tends ta-
Ré Sol Ré La7
-per Je l'en-tends son-ner Que dit-el-le
Ré La Ré
Tic tac tic tac tic
(bê - te ne veut plus chan - ter).

1
La petite bête
Qui est dans la montre
Je l'entends gratter
Je l'entends taper
Je l'entends sonner
Que dit-elle ?
Tic-tac, tic-tac-tic.

2
La petite bête
Est morte ce soir
Monsieur l'horloger
Veux-tu la r'trouver
Veux-tu la ram'ner
Ma petite bête
Ne veut plus chanter

3
La petits bête
Monsieur l'horloger
Me l'a retrouvée
Elle était coincée
Par un grain de blé
Que dit-elle ?
Tic-tac, tic-tac-tic.

Marin de la reine

Texte de M. Carême

Musique de C. Oriol

Fa
Do7
Pour ê - tre ma - rin de la
Fa
Do7
Fa
rei - ne Pour ê-tre ma - rin de la rei - ne Il
Do7
Fa
s'em-bar-qua à Noir-mou-tier Don - dai
Do7
Fa
ne A Noir-mou-tier l'île aux si-rè - nes Don-
Do
2
Fa
Fa
dé A -rè - nes Don - dé

2
Il prit Marie comme marraine,
Marie aux jolis petits pieds,
Dondaine,
Marie brune comme une faine,
Dondé.

3
Et, sur sa vareuse de laine,
Il mit une ancre ciselée,
        Dondaine,
Une ancre avec son nom gravé,
        Dondé.

4
Mais la mer était si vilaine
En face de l'île de Ré,
        Dondaine,
Que nul ne le vit perdre pied,
        Dondé.

5
Avant même que la semaine
N'eût renversé son sablier,
        Dondaine,
Il se noya loin de la reine,
        Dondé.

6
Marie brune comme une faine
En a longtemps, longtemps pleuré,
        Dondaine,
Puis a fini par se marier
        Dondé.

La réunion de famille

Texte de J. Charpentreau — Musique de M. Rongier

Do m
Ma tante A - ga the
Mon oncle An - dré
Mi
Vient des Car-pa thes A qua - tre
Vient de Nia-mey A clo - che
Si♭7
pattes
pied
Mon frè-re Tchou Vient de Mos-cou
Fa
Do7
Do
Sur les ge-noux
Mais tante Hen-riet te
Do7
Fa
Do
Vient à la fê te A bi- cy-clet-te

1

Ma tante Agathe
Vient des Carpathes
A quatre pattes

Mon oncle André
Vient de Niamey
A cloche-pied

Mon frère Tchou
Vient de Moscou
Sur les genoux

Refrain
Mais Tante Henriette
Vient à la fête
A bicyclette
} *bis*

2
Ma sœur Loulou
Vient de Padoue
A pas de loup

Grand-mère Ursule
Vient d'Astrabule
Sur les rotules

Grand-père Armand
Vient de Ceylan
En sautillant
Refrain

3
Ma nièce Ada
Vient de Java
A petits pas

Mon neveu Jean
Vient d'Abidjan
Clopin-clopant

Oncle Firmin
Vient de Pékin
Sur les deux mains
Refrain

Zorro

Texte de B. LORRAINE

Musique de J. OLLIVIER

Couplets 1.2 et 5.6
Do
Sol7
Quel est donc ce bel hi-dal -go
Tan - go fla - men-co bo- lé- ro
Do
Do
Qui danse à ra-vir fandan-go ha - lo De la
Tou-te la nuit sous le
Fa
Sol
Do
lu - ne de Me - xi - co C'est Zor- ro!
Couplets 3.4 et 7
Do
Fa
Dans la nuit où pleure un pia-no Il- lu-mi-né à gior-
Un hom-me sort d'un casino
Do
Sol
Do
no. Ce jou-eur qui a fait ban - co Et
Sol7
Do
Sol
Do
ga-gné un el- do - ra - do C'est Zor - ro!
Coda du 7e couplet
Sol
Do
Sol7
Do
Oh Oh Bra-vo Zor-ro!

Sol Do Sol7 Do
Oh Oh —— Et que voi-là des mots en o!

1
Quel est donc ce bel hidalgo
Qui danse à ravir fandango,
Tango, flamenco, boléro,
Toute la nuit sous le halo
De la lune de Mexico ?
C'est Zorro !

2
Quel est ce fier caballero
Avec sa belle en caraco ?
Ils chantent près d'un brasero,
Boivent ensuite du porto
Et jouent tendrement au loto
C'est Zorro !

3
Dans la nuit où pleure un piano
Un homme sort d'un casino
Illuminé à giorno
Ce joueur qui a fait banco
Et gagné un eldorado
C'est Zorro !

4
Stoïque comme un torero
Il se moque des lumbagos
Et son pur-sang, oui mes cocos,
Plus vite que le siroco
Est aussi blanc qu'un lavabo
    C'est Zorro !

5
Mais au premier coquerico
Du petit matin d'indigo
Il rajuste son domino
Son lasso et son sombrero.
Car ce fameux pistolero
    C'est Zorro !

6
A travers les champs de sorgho
Fertilisés par le guano
Il galope vers un rancho
Et sous les balles des gauchos
Il pousse son cri aux échos
    C'est Zorro !

7
Ah ! c'est un sacré numéro
A la voix chaude en trémolos.
Il fait dodo dans les silos
Et ses conquêtes à gogo,
S'allongent sur son mémento
C'est Zorro !

Oh oh
Bravo Zorro !
Oh oh
Et que voilà des mots en O !

Index alphabétique des chansons

TABLE DES MATIÈRES

HAUT COMME TROIS POMMES

AMUSONS-NOUS

MON CŒUR BAT

PETITES ET GROSSES BÊTES

GENS QUI PLEURENT ET GENS QUI RIENT

Collection

ENFANCE HEUREUSE

dirigée par Jacques Charpentreau

POÈMES

Recueils

Marc Alyn, *L'Arche enchantée.*
Luc Bérimont, *L'Esprit d'enfance.*
Alain Bosquet, *Le Cheval applaudit.*
Maurice Carême, *Au clair de la lune.* Avec 18 illustrations inédites de Henri-Victor Wolvens.
Jacques Charpentreau, *Poésie en jeu.*
Lucienne Desnoues, *Le Compotier.*
Frédéric Kiesel, *Nous sommes venus prendre des nouvelles des cerises.*
Daniel Lander, *Alphabestiaire.* Illustrations de l'auteur.
Bernard Lorraine, *La Ménagerie de Noé.* Avec des illustrations.
Pierre Menanteau, *Au rendez-vous de l'arc-en-ciel.*
Jean-Luc Moreau, *L'Arbre perché.*
Catherine Paysan, *52 poèmes pour une année.*
Gisèle Prassinos, *Le Ciel et la terre se marient.*
Jean-Claude Renard, *Les Mots magiques.*

Anthologies

Isabelle Jan, *Poèmes de toujours pour l'enfance et la jeunesse.* Anthologie de la poésie française jusqu'en 1913, 40 poètes, 140 poèmes.

Jacques Charpentreau, *Poèmes d'aujourd'hui pour les enfants de maintenant.*
Anthologie de la poésie française de 1913 à nos jours. 90 poètes, 200 poèmes.
(Avec un livre de *Présentation et commentaires* pour les éducateurs.)

Jacques Charpentreau, *Poèmes pour les jeunes du temps présent.*
Anthologie de la poésie française de 1913 à nos jours.
100 poètes, 250 poèmes. Pour les adolescents.
(Avec un livre de *Présentation et commentaires* pour les éducateurs).

Bernard Lorraine, *Le cœur à l'ouvrage.*
Anthologie de la poésie du travail.

Anthologie de poèmes inédits

La Nouvelle Guirlande de Julie.
50 poètes contemporains, 200 poèmes.

Monique Bermond et Roger Boquié, *Vingt mots pour ma ville.*
16 poètes contemporains. 30 poèmes écrits à partir des mots clés choisis par les enfants de 27 villes.

La Poésie comme elle s'écrit.
60 poètes contemporains. 233 poèmes dont 86 manuscrits reproduits.

L'Almanach de la poésie.
36 poètes contemporains. 180 poèmes.

CHANSONS

Simonne Charpentreau, *Le Livre d'or de la chanson enfantine.*
Anthologie de chansons traditionnelles et contemporaines pour les enfants.
250 chansons avec paroles, mélodies, accompagnement de piano et chiffrage guitare.

Jacques Douai, *Chansons.*
89 chansons composées par Jacques Douai sur des textes de 40 auteurs avec paroles, mélodies, accompagnement de piano et chiffrage guitare.

Anne Sylvestre, *Fabulettes et chansons pour le mercredi.*
53 chansons pour enfants, avec paroles, mélodies, accompagnement de piano et chiffrage guitare.

LIVRES D'INITIATION ET D'ÉVEIL

Jean-Louis Ducamp, *Le Bonheur raconté aux enfants.*

Jean-Louis Ducamp, *Les Droits de l'homme racontés aux enfants.*

Denis Langlois, *L'Injustice racontée aux enfants.*

ÉTUDES ET ESSAIS

Anne-H. Bustarret, *L'Enfant et les moyens `d'expression sonore* (disques, cassettes, magnétophones).

Anne-H. Bustarret, *L'Oreille tendre.* Pour une première éducation auditive.

Jacques Charpentreau, *Enfance et poésie.*

Jacques Charpentreau, *Le Mystère en fleur* (les enfants et l'apprentissage de la poésie).

Marie-Thérèse Gazeau, *L'enfant et le musée.*

Jacqueline Held, *L'Imaginaire au pouvoir* (Les enfants et la littérature fantastique).

Isabelle Jan, *La Littérature enfantine.*

Raymond Laubreaux, *Entre cour et jardin* (Théâtre et enseignement).

Geneviève Patte, *Laissez-les lire !* (les bibliothèques pour les enfants).

Les Livres pour les enfants, par Christiane Abbadie-Clerc, Gérard Bertrand, Catherine Bonhomme, Jacques Charpentreau, Raoul Dubois, Marion Durand, Bernard Epin, Jean Hassenforder, Isabelle Jan, Simone Lamblin, Jean Lauvaux, Véronique Lory, Geneviève Patte, Anne Pellowski, Béatrice Roland, Edwige Talibon-Lapomme, Colette Vivier.

PETITE ENFANCE HEUREUSE

Simonne Charpentreau, *Mon premier livre de chansons.*

Jacques Charpentreau, *Mon premier livre de poèmes.*

Achevé d'imprimer en octobre
sur presse CAMERON
dans les ateliers de la S.E.P.C.
à Saint-Amand (Cher)
N° d'édition : 4202 — N° d'impression : 1673.
Dépôt légal : octobre 1983
imprimé en France